CÚMULOS

Ciranda Cultural

CÚMULOS

1. **Qual o cúmulo da burrice de uma aranha?**
2. Qual é o cúmulo dos trabalhos manuais?
3. Qual o cúmulo da astronomia?
4. Qual é o cúmulo do esquecimento?
5. Qual o cúmulo da vaidade?
6. Qual o cúmulo da solidão?
7. Qual o cúmulo da confiança?

Respostas: 1. Mandar o elefante testar a sua teia; 2. Tricotar com a linha do trem; 3. Ver estrelas no céu da boca; 4. Não sei, eu me esqueci; 5. Engolir um batom para passá-lo na boca do estômago; 6. Responder "boa noite" ao apresentador do telejornal; 7. Jogar truco pelo telefone.

CÚMULOS

8. Qual é o cúmulo do bombeiro?

9. Qual é o cúmulo da discordância?

10. Qual é o cúmulo do vôlei?

11. Qual é o cúmulo do barbeiro?

12. Qual é o cúmulo da força?

13. Qual é o cúmulo da facilidade?

Respostas: 8. Apagar fogo de vulcão; 9. Não concordar consigo mesmo; 10. Você dar uma Manchete e acertar no telejornal; 11. Cortar a juba de um leão acordado; 12. Dobrar a esquina; 13. Trabalhar numa fábrica de derreter gelo.

CÚMULOS

14. Qual é o cúmulo do desperdício?

15. Qual é o cúmulo do mal-estar?

16. Qual é o cúmulo da decepção?

17. Qual é o cúmulo da falta do que fazer?

18. Qual é o cúmulo da gentileza?

19. **Qual é o cúmulo da sede?**

20. Qual é o cúmulo da folga?

Respostas: 14. Derramar novas lágrimas por velhos problemas; 15. Beber água no hidrante para apagar a queimação estomacal; 16. Sediar a Copa do Mundo e perder de 7 a 1 para seleção da Alemanha; 17. Assistir uma corrida de lesmas em câmera lenta; 18. Fazer continência ao cabo de vassoura; 19. Beber água num caminhão-pipa; 20. Pedir carona a um taxista.

CÚMULOS

21. Qual é o cúmulo da procrastinação?

22. Qual é o cúmulo da malandragem?

23. Qual é o cúmulo da contabilidade?

24. Qual é o cúmulo do comodismo?

25. Qual é o cúmulo da burrice?

26. Qual é o cúmulo da ironia?

Respostas: 21. Vou deixar a resposta para depois; 22. Vender areia no deserto; 23. Um cara estar num trem-bala e contar as travessas da linha; 24. Querer que o mar pegue fogo, só para comer peixe frito; 25. Contar os degraus de uma escada rolante; 26. Ter o sobrenome "Salgado" e só poder comer coisa doce.

CÚMULOS

27. Qual é o cúmulo da lerdeza?

28. Qual é outro cúmulo do desperdício?

29. Qual é o cúmulo da inteligência?

30. Qual é o cúmulo da preguiça?

31. Qual é o cúmulo da solidão?

32. Qual é cúmulo da fome?

33. Qual é o cúmulo da altura?

Respostas: 27. Correr sozinho e chegar por último; 28. Regar o jardim quando está chovendo; 29. Acertar até o que não foi perguntado; 30. Uma pessoa que não trabalha comemorar porque no outro dia é feriado; 31. Conversar com a mesa de cabeceira; 32. Comer o pão que o Diabo amassou; 33. Ser tão alto que a comida, ao chegar ao estômago, já tenha passado do prazo de validade.

CÚMULOS

34. Qual é mais outro cúmulo da fome?

35. Qual é o cúmulo da velocidade?

36. Qual é o cúmulo do otimismo?

37. Qual é o outro cúmulo da beleza?

38. Qual é o cúmulo da síntese?

39. Qual é outro cúmulo da esperança?

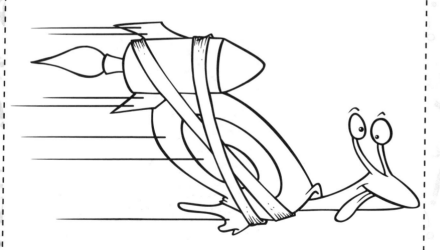

Respostas: 34. Descascar bambu pensando que é cana; 35. Dar uma volta no quarteirão e encontrar com suas costas; 36. Acreditar que vai conseguir passar pano e enxugar uma pista de gelo; 37. Comer flores para enfeitar os vasos sanguíneos; 38. Escrever numa redação sobre um jogo de futebol: "Partida adiada devido ao mau tempo."; 39. Comprar uma garrafa de água e esperar que se transforme em refrigerante.

CÚMULOS

40. Qual o cúmulo da avareza?

41. Qual é o cúmulo da musicalidade?

42. Qual é o cúmulo do sono para um astronauta?

43. Qual é o cúmulo da má pontaria?

44. Qual é cúmulo da fome?

45. Qual é cúmulo da preguiça?

46. Qual é o cúmulo da autoestima?

Respostas: 40. Dar um centavo para o filho comprar doce e ainda pedir o troco; 41. Ouvir o canto da mesa; 42. Roncar tão alto que até os ETs reclamam; 43. Atirar uma pedra no chão e errar; 44. Comer o Pão de Açúcar inteiro; 45. Me pergunte amanhã; 46. É a pessoa se olhar no espelho, e o espelho aplaudir.

CÚMULOS

47. Qual é o cúmulo da invenção?

48. Qual é o cúmulo da falta de credibilidade?

49. Qual é o cúmulo da inutilidade?

50. Qual é o cúmulo do azar?

51. Qual é o cúmulo da falência?

52. Qual é o cúmulo da higiene?

Respostas: 47. Inventar uma marreta para desenquear para-brisa; 48. Fazer compras e não poder pagar nem à vista; 49. Ser reserva de gandula; 50. Ser o único comprador de uma rifa e não ser sorteado; 51. Vender o almoço para comprar a janta; 52. Lavar a alma.

CÚMULOS

53. Qual é o cúmulo do relojoeiro?

54. Qual é outro cúmulo da avareza?

55. Qual é o cúmulo da paciência?

56. Qual é o cúmulo da profissão?

57. Qual é o cúmulo do pão-durismo?

58. Qual é cúmulo do distraído?

59. Qual é o cúmulo do jardineiro?

Respostas: 53. Perder a hora. 54. Dar tchau com a mão fechada. 55. Ver uma minhoca caindo de paraquedas; 56. O barbeiro não fazer a própria barba; 57. Não querer dividir nem os prejuízos; 58. Ir ao restaurante, comer o guardanapo e limpar a boca com o bife; 59. Plantar dúvidas.

CÚMULOS

60. Qual é o cúmulo da cara de pau?

61. Qual é o cúmulo da sede?

62. Qual é o cúmulo da ignorância

63. Qual é outro cúmulo da higiene?

64. Qual é o cúmulo do futebol?

65. Qual é outro cúmulo do pé da letra?

Respostas: 60. Comprar fiado e pedir troco; 61. Tomar um ônibus; 62. Abrir uma caneta para ver de onde saem as letras; 63. Escovar os dentes com um escovão; 64. Acertar o gol e errar o replay; 65. Não lavar os cabelos porque, no rótulo do xampu, está escrito que é para cabelos secos.

CÚMULOS

66. Qual é o outro cúmulo da ignorância?

67. Qual é o cúmulo da matemática?

68. Qual é o cúmulo da burrice?

69. Qual é o cúmulo da falta de atenção?

70. Qual é o cúmulo da piedade?

71. **Qual é o cúmulo da eletricidade?**

72. Qual é outro cúmulo da burrice?

Respostas: 66. Comprar bala e receber bala de troco; 67. Pedir um X-burger, comer o burger e calcular o X; 68. Assinar carta anônima; 69. Tomar conta de dois caramujos e deixá-los fugir; 70. Resgatar a galinha do vizinho e levar também os pintinhos para não deixar os órfãos; 71. Levar um choque e receber uma alta conta de luz por isso; 72. Bater a cabeça na quina de uma mesa redonda.

CÚMULOS

73. Qual é o cúmulo do saco cheio?

74. Qual é o cúmulo da fome?

75. Qual é o cúmulo do futebol?

76. Qual é o cúmulo do perigo?

77. Qual é o cúmulo do medo?

78. Qual é o cúmulo do azar?

Respostas: 73. Assistir ao horário político e querer mudar de canal; 74. Um restaurante self-service fechar para almoço; 75. Fazer um Gol e acertar um Corsa; 76. Pular de bungee jump sem cordinha em uma piscina cheia de jacarés; 77. Fugir da própria sombra; 78. Cair de costas e machucar o nariz.

CÚMULOS

79. Qual é outro cúmulo da preguiça?

80. Qual é o cúmulo do cozinheiro?

81. Qual é o cúmulo da incoerência?

82. Qual é outro cúmulo da eletricidade?

83. Qual é o cúmulo da inutilidade?

84. Qual é o cúmulo da economia?

85. Qual é o cúmulo da paciência?

Respostas: 79. Acordar mais cedo só para ficar mais tempo sem fazer nada; 80. Esquecer o tempero da vida; 81. Dois mergulhadores procurarem conchas no deserto; 82. Tomar um choque quando a conta de luz chega; 83. Esponja à prova d'água; 84. Usar o papel higiênico dos dois lados; 85. Esperar um balde furado encher.

CÚMULOS

86. Qual é o cúmulo da pontaria?

87. Qual é o cúmulo do jardineiro?

88. Qual é o cúmulo da matemática?

89. Qual é o outro cúmulo do eletricista?

90. Qual é o cúmulo da habilidade?

91. Qual é o cúmulo da pequenez?

92. Qual é o cúmulo do segredo?

93. Qual é o cúmulo da amizade?

Respostas: 86. Atirar uma pedrinha no mar e ela chegar em outro continente; 87. Ter uma namorada chamada Margarida e deixá-la plantada esperando; 88. Calcular a temperatura de um canto de 90 graus; 89. Levar um susto e ficar em choque; 90. Atar um embrulho com um fio de azeite; 91. Um sujeito subir uma escada para passar debaixo da porta; 92. Não posso te dizer; 93. Virar o melhor amigo da onça.

CÚMULOS

94. Qual é o cúmulo da honestidade?

95. Qual é o outro cúmulo da paciência?

96. Qual é o cúmulo da preguiça?

97. Qual é o cúmulo da paquera?

98. Qual é o cúmulo da timidez?

99. Qual é o cúmulo da traição?

100. Qual é outro cúmulo da velocidade?

Respostas: 94. Sentir-se culpado por pisar em falso; 95. Esvaziar uma piscina com um conta-gotas; 96. Ver um pernilongo chupando seu sangue e não espantá-lo; 97. Paquerar a assistente de inteligência artificial; 98. Frequentar a escola todos os dias e ser reprovado por falta; 99. Ser traído pela própria sombra; 100. Dar voltas ao redor de uma mesa para tentar pegar a si próprio.